SRA

Leamos español

Libro 1

Juegos

•

Cuentos folclóricos

SRA

Leamos español

Libro 1

Program Authors

Elva Duran
Elsa Hagan
Linda Carnine
Jerry Silbert
Marilyn Jager Adams
Carl Bereiter
Anne McKeough
Robbie Case
Marsha Roit
Jan Hirshberg
Michael Pressley
Iva Carruthers
Gerald H. Treadway, Jr.

Consulting Author

Douglas Carnine

SRA

A Division of The **McGraw·Hill** Companies

Columbus, Ohio

Acknowledgments

Grateful acknowledgment is given to the following publishers and copyright owners for permissions granted to reprint selections from their publications. All possible care has been taken to trace ownership and secure permission for each selection included.

Carolrhoda Books, Inc.: JAFTA by Hugh Lewin, illustrations by Lisa Kopper. Text copyright © 1981 by Hugh Lewin. Illustrations copyright © 1981 by Lisa Kopper. Reprinted with permission of Carolrhoda Books, Inc., Minneapolis, MN. All rights reserved.

Crown Publishers, Inc.: THE CHASE: A KUTENAI INDIAN TALE by Beatrice Tanaka, illustrated by Michael Gay. Translation copyright © 1991 by Crown Publishers, Inc. Copyright © 1990 by Kaleidoscope, Paris. Reprinted by arrangement with Crown Publishers, Inc.

Dutton Children's Books, a division of Penguin Putnam Inc.: MATHEW AND TILLY by Rebecca C. Jones, illustrated by Beth Peck. Copyright © 1991 by Rebecca C. Jones, text. Copyright © 1991 by Beth Peck, illustrations. Used by permission of Dutton Children's Books, a division of Penguin Putnam Inc.

Ediciones Ekaré: EL REY MOCHO by Carmen Berenguer. Copyright © 1992 by Ediciones Ekaré, Caracas, Venezuela. Reprinted with permission of Ediciones Ekaré. LA NOCHE DE LAS ESTRELLAS by Douglas Gutierrez and Maria Fernanda. Copyright © 1987 by Ediciones Ekaré, Caracas, Venezuela. Reprinted with permission of Ediciones Ekaré.

Editorial Everest: "Debajo de un botón" from TITO, TITO by Isabel Schon. Illustrations by Violeta Monreal. Text copyright © 1998 by Isabel Schon. Illustrations copyright © 1998 by Violeta Monreal. Reprinted with permission of Editorial Everest.

Edizioni E. Elle: "Little Green Riding Hood:" from TELEPHONE TALES, by Gianni Rodari. Copyright © Edizioni E. Elle, Trieste, Italy. Reprinted with permission of Edizioni E. Elle.

La Galera: LA ZORRA Y LA CUGUENA adapted by Maria Eulalia Valeri. Illustrations by Francesc Infante. Text copyright ©

Every reasonable effort has been made to trace the owners of copyrighted material and to make due acknowledgement. Any errors or omissions drawn to our attention will be gladly rectified in future editions.

Unit Opener Illustrations

10–11 Hilary Knight; **82–83** Henrik Drescher.

SRA/McGraw-Hill

A Division of The McGraw·Hill Companies

Send all inquiries to:
SRA/McGraw-Hill
250 Old Wilson Bridge Road
Suite 310
Worthington, Ohio 43085

Printed in the United States of America.

ISBN 0-02-683629-7

1 2 3 4 5 6 7 8 9 RRW 04 03 02 01 00 99

Program Authors

Elva Duran, Ph.D.
California State University, Sacramento

Elsa Hagan, M.A., C.C.C./SLP
Valley Speech, Language, and Learning Center

Linda Carnine, Ph.D.
Consultant, Language Development

Jerry Silbert
Research Associate, University of Oregon

Marilyn Jager Adams, Ph.D.
BBN Technologies

Carl Bereiter, Ph.D.
University of Toronto

Anne McKeough, Ph.D.
University of Toronto

Robbie Case, Ph.D.
University of Toronto

Marsha Roit, Ph.D.
National Reading Consultant

Jan Hirshberg, Ed.D.

Michael Pressley, Ph.D.
University of Notre Dame

Iva Carruthers, Ph.D.
Northeastern Illinois University

Gerald H. Treadway, Jr., Ed.D.
San Diego State University

Consulting Authors

Douglas Carnine, Ph.D.
Director and Professor
National Center to Improve the Tools of Education
University of Oregon

Contenidos

Contenidos

SRA Leamos español

Cuentos descifrables

A Division of The McGraw-Hill Companies

Columbus, Ohio

Querido queso

Un ratón pequeño va a comer
un poco de queso de la mesa.

Orfe Lina
ilustrado por Olivia Cole

El queso está en un paquete en la mesa.

El gato ve al ratón en la mesa
y se queda parado.

El ratón ve el gato y baja de la mesa.

¡El ratón ya no se puede comer el queso!

El gato sube a la mesa y se come
todo el queso del paquete.

Desear y poder

El mono Yiyo desea cantar y cantar una ópera.

Orfe Lina

ilustrado por Len Epstein

La mosca desea pintar y pintar retratos.

El yac desea leer y leer libros.

El gato desea volar y volar en avión.

El pato desea tocar y tocar la guitarra como un mariachi.

—Mamá, mira: el mono se balancea en un árbol, la mosca vuela, el yac sube una montaña, el gato come mucho, y el pato nada en una laguna.

¡A jugar!

Hace muchos años, las niñas
sólo jugaban con muñecas.
Jamás jugaban deportes.

Elizabeth González
ilustrado por Len epstein

Hace muchos años, los niños sólo
jugaban con palas y pelotas.
Jamás jugaban con muñecos.

Ya no. En estos años, las niñas y los niños
pueden jugar con todo.

José tiene un muñeco muy heróico para jugar.

Ana va a jugar al tenis con su papá.
A veces, Ana le gana a su papá.

¿Cómo crees que serán
los juguetes del futuro?

Mi amigo Jorge

Mi amigo Jorge vive en esta casa.

Pedro Alcántara
ilustrado por Olivia Cole

La casa de Jorge es verde.
A mí me gusta mucho.

Jorge vive con su mamá, su papá,
su gato Mino y su loro Cuco.

La mamá de Jorge cocina mucho. Sabe
cocinar unos tamales muy ricos.

A veces, Jorge va al lago con sus padres. Todos saben nadar.

Jorge, el gato Mino y el loro
Cuco son mis amigos.
Soy la jovencita en la foto.

El regalo

Vamos a visitar a la señora Aquino.
Me va a dar un regalo.

Elizabeth González
ilustrado por Olivia Cole

Me dice la señora Aquino que
es como una caja mágica.

Está lleno de animales. ¡Tiene osos,
burros, leones, llamas, y monos!

Me dice la señora Aquino
que me ayudará leer.

¡Ya sé! Es un libro. Pero todavía
no sé leer muy bien.
Este año, seguro, voy a aprender a leer muy bien.

Rápido, rápido, ¡a leer!
Ya sé desde la A hasta la Z.

El antifaz

Mañana, Elena va a ir al cine con Zorro
Zorruno en coche de caballos.

Elizabeth González
ilustrado por Len Epstein

Elena va a llevar zapatillas azules y Zorro
Zorruno va a llevar zapatos de charol.

Zorro Zorruno dice que la película
es de un amigo de él.

Elena dice que una señora y su
hija van a ir con ellos al cine.

Elena y Zorro Zorruno están
felices y cómodos en el cine.

¡Pero jamás pensaron recibir
regalos de El Zorro en el cine!

Los gemelos

En mi clase hay dos gemelos: Eva y Hector.

Elizabeth González
ilustrado por Kersti Frigell

Tienen la misma cara, las mismas
manos y el mismo pelo.

Eva se daña su dedo y Hector grita—¡Huy!

Hector lee y lee antes de dormir.
A Eva y a su abuela les gustan
cantar y hablar anoche.

Por la mañana, Hector sólo bebe leche.
Eva come fruta y huevos para el desayuno.

Estos gemelos son dos personas
distinctas. Se parecen sólo en una cosa:
los dos aman mucho a su papá, su
mamá y su abuela.

Tina de Canadá

Tengo una carta de mi amiga Tina.
Tina vive en Toronto, Canadá.

José del Valle
ilustrado por Kersti Frigell

En la carta hay una foto de Tina
con un vestido azul muy bonito.

También hay una foto de Tina
montando en un velero con su papá.

Tina me escribe que todos los días va a clase de pintura.

¡También escribe que se comió muchos caramelos y se puso muy enferma!

Tina dice que va a venir de visita en
agosto. Lo vamos a divertirnos juntas.

Mi sueño

Hola, amigos. Me llamo Guillermo
y voy a describir mi sueño.

Bartolo Ortega
ilustrado por Len Epstein

Llegué a la escuela a las seis de la mañana.
Pagué una entrada de seis mil pesos.
Jugué todo el día en vez de estudiar.

Atardecer, rogué a la maestra permiso para salir.

Entregué mis libros a un guepardo en la puerta.

Yo navegué un barco por un reguero.

Cuando me desperté por la mañana dije
todo a Papá.
Nos reímos mucho. Nunca voy a comer
tanto helado antes de acostarme.

Mi mascota favorita

Mi mascota favorita es un gato
que se llama Xavier.

Milagros Pereda
ilustrado por Olivia Cole

Mi mascota favorita es un
perrito que se llama Wonder.

Mi mascota favorita es un pez
pequeñito que se llama Wanda.

Mi mascota favorita es un caballo
colorado que se llama Max.
Max corre muy rápido.

Mi mascota favorita es un
elefante que se llama Sox.

Nuestra mascota favorita es un loro que
habla mucho y se llama Wilber.
Y tú, ¿tienes alguna mascota favorita?

Los músicos

Te voy a presentar a los hermanos
Kariana y Pedro. Son mis amigos.

Ramón Ramirez
ilustrado por Meryl Henderson

Kariana y Pedro viven en un
pueblo de México y tocan en
una banda de música.

Kariana toca el piano y Pedro
toca el saxofón. Todos los días
practican para la banda.

Tocan muy lindo. Practican
mucho y por eso son unos
músicos excelentes.

El padre de Kariana le gusta mucho
escuchar canciones mexicanas.

Mañana van a dar un concierto y todos
sus amigos van a escucharles.

El león pequeño

Tres leones tomaban el sol
en el tronco de un árbol.

Miguel Madroño
ilustrado por Deborah Colvin Borgo

Eran papá león, mamá leona y el león pequeño que se llamaba Leoncín.

Leoncín quería trepar y subir a un árbol, pero mamá leona no le dejó.

Leoncín quería correr tras de un tren,
pero mamá leona no le dejó.

Leoncín quería jugar con su tío Troilo, el león grande, pero mamá leona no le dejó.

Mamá leona le dijo a Leoncín:
—Cuando seas grande podrás trepar por los árboles, correr tras de los trenes y jugar con tu tío Troilo.

Blas el dragón

En la clase hablamos de los dragones.
Leemos unas leyendas sobre dragones.

Milagros Alonso
ilustrado por Len Epstein

Algunas leyendas dicen que eran rojos.
Otras dicen que eran de color verde.

Algunas dicen que tragaban cabras y cosechas.

Otras dicen que echaban llamas por la nariz y tragaban casas enteras.

Dicen que algunos eran dragones de tres cabezas, ocho colas y cinco ojos.

Pero mi pequeño Blas no es un dragón
tragón como esos otros.
No es bravío, es apacible.
Por eso lo llevo en mis brazos.

La finca

Mi tío Flaco es un hombre muy trabajador.
No es flojo.

Andrés Mendoza
ilustrado por Meryl Henderson

Tiene una finca muy bonita. Se
levanta muy temprano cada
mañana y sale a labrar los campos.

De veras mi tío Flaco no es flaco. Es un hombre
muy grande de brazos muy poderosos.

En su finca tiene cabras, caballos,
cerdos, conejos y pollos.

Todos los domingos ayudo a mi tío
a alimentar a los animales.

Después de los quehaceres,
comemos una comida rica que
incluye flan, mi postre favorito.

Flechas

La gente indígena de América
usaba mucho las flechas.

Inés Valdez

ilustrado por Meryl Henderson

Ellos hacían las flechas de madera. En el extremo de las flechas ponían puntas de rocas lisas o espinas de peces.

Navegaban en los ríos frescos que
fluían cerca de las montañas.

Con las flechas y lanzas pescaban y cazaban. Atrapaban otros animales con redes hechas con plantas.

Durante el verano recogían fresas,
frambuesas, y otras frutas.
Cocinaban peces y venado.

Con frecuencia, mis padres me dicen
cómo eran las flechas de sus abuelos.

Soñar

Anoche soñé que iba en globo al Polo Norte.
Debajo del globo colgaba una cesta. Ahí íbamos
el loro Tritón, el perro Fleco y yo.

Inés Valdez
ilustrado por Len Epstein

Dentro de la cesta llevábamos comida: fruta para mí, semillas para Tritón y un hueso para Fleco.

Había un poco de brisa y el
globo volaba muy alto.

Pasamos por donde viven los esquimales en un glaciar. Vimos sus iglúes y vimos osos.

De repente, ¡los cables se aflojaron! Nos agarramos los cables del globo con los brazos o las bocas, pero bajábamos...

En ese momento me desperté
con los brazos en alto.

La ciudad grande

Vivo con mis padres y mi hermana
en una gran ciudad.

Pedro Maravilla
ilustrado por Meryl Henderson

Mi escuela es muy grande y tengo
amigos de todas partes.

Me gusta la ciudad porque hay
mucha gente y porque hay
muchos cines, teatros y plazas.

Lo que no me gusta de la ciudad es que hay mucho tráfico y edificios grises muy altos.

Por eso me gusta ir a la granja de
mi abuela los fines de semana.

Me gusta jugar con los animales de
la granja y platicar con mi abuela.

Cumpleaños

Día trece.
Querido libro:
Mañana cumplo un año más.

Milagros Alonso
ilustrado por Kersti Frigell

Mis padres invitan a mis amigos
de la clase a la playa.

El plan es simple: llevar comida,
platos, manzanas, plátanos, refrescos
y un pastel con velas para que yo las
sople y mis amigos canten.

Vamos a sacar fotos. Nos vamos a bañar
en el mar y a jugar en la arena.

Los juegos y los premios están
preparados. Todo está listo. Me
preocupo que vaya a llover.

Día quince.
¡Qué bien los pasamos! Los planes del
día en la playa quedaron de lo mejor.
Ahora, ¡a esperar otro año!

Todos tenemos gusto de jugar juegos, pero podemos aprender de juegos, también? Podemos quizá. Vea qué Homer y Oso, Jafta, los animales y Mateo y Matí descubra sobre sí mismos mientras que juega juegos.

SCHOOL

IN

OUT

123

Romance de Don Gato

versión IV • *Tradicional*
ilustraciones de Holly Jones

Estaba el señor gatito,
pirulito,
en un sillón de oro sentado,
pirulado.
Le vinieron las noticias,
pirulicias,
que había de ser casado,
pirulado,
con una gata montesa,
pirulesa,
que tenía cien ducados,
pirulados.
El gato, de tan contento,
pirulento,
cayó del tejado abajo,
pirulajo;
se romió siete costillas,
pirulillas,
y en siete partes el rabo,
pirulabo.

Queriendo hacer testamento,
pirulento,
llamaron al señor juez,
piruluez,
y también al escribano,
pirulano.
Los ratones muy contentos,
pirulentos,
se visten de colorado,
pirulado.
Las gatas se ponen luto,
piruluto,
los gatos, capote largo,
pirulargo.

Jafta

Un cuento para leer entre todos
Hugh Lewin
ilustraciones de Lisa Kopper
traducción de Luis E. Latoja

—Cuando estoy contento —dijo Jafta—,
ronroneo como un cachorro de león,

o salto como una araña,

o me río como una hiena.

Y a veces me dan ganas de saltar
como un impala,

y bailar como una cebra,

o mover la nariz como un conejo.

Cuando me canso, me gusta
holgazanear al sol como una lagartija,
o revolcarme como un hipopótamo,
y sentirme mimado como un corderito.

Pero cuando me enojo, pataleo como
un elefante y gruño como un jabalí.

—Pero no me enojo muy a menudo
—dijo Jafta.

Y puedo ser tan fuerte como un rinoceronte.

A veces, siento ganas de ser tan alto como
una jirafa y tan largo como una serpiente.

Y me dan ganas de correr como un guepardo, y tan rápido como un avestruz,

o columpiarme por los árboles como un mono, y volar tan alto como un águila,

o quedarme muy quieto solamente, como una grulla parada en una pata.

—Pero, en realidad, —dijo Jafta—, no
creo que haya algo más agradable que
ser un flamenco que vuela en dirección
a la puesta de sol...

Relación con el tema

Piensa

Piensa en estas preguntas, luego coméntalas con un grupo de compañeros de clase.

- ¿Crees que Jafta realmente estaba con los animales?
- ¿Crees que Jafta se estaba imaginado a los animales divirtiéndose?
- ¿Cuándo usas tu imaginación para divertirte?

Si tienes alguna pregunta acerca de los juegos, colócalas en el Tablero Concepto/Pregunta.

Plan para la actividad de la unidad

- ¿Quieres que se use la imaginación en tu nuevo juego?
- Reúnete con tu grupo y habla acerca de esto.

Vocabulario de la selección

araña

hiena

cebra

conejo

serpiente

Al corro de la patata

ilustraciones de Yvette Banek

Al co-rro de la pa - ta - ta, co-me - re-mos en-sa -

la - da co-mo co-men los se - ño - res, na-ran -

ji - tas y li - mo - nes. ¡A-chu - pé, a-chu -

pé! Sen - ta - di - ta me que - dé.

Los niños giran en rueda y al decir el último
verso, todos se sientan.

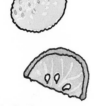

La gran carrera de relevos

de En sus marcas, listos, fuera!
por Leonard Kessler
ilustraciones de Charmie Curran
traducción de Luis E. Latoja

Los animales están jugando. Los equipos son los
Yankees, los Tigers y los Pirates. Doña Lombriz
desea jugar pero ella no está en ningún equipo.

—Todos los equipos a ponerse en fila para la
gran carrera de relevos —dijo doña Lechuza.

Don Perro, doña Rana y doña Tortuga se dirigieron a la partida. Doña Pata, don Conejo y don Gato esperaban más adelante en la pista. Doña Rana y doña Tortuga llevaban un palito cada una.

—¿Dónde está mi palito? —preguntó don Perro.

—¿Quién tiene el palito? —pregunta doña Lechuza.

—Consíganme un palito. ¡Necesito un palito! —gritó don Perro.

Doña Lombriz culebreó rápidamente hacia doña Lechuza.

—Estoy lista, entrenadora —dijo doña Lombriz.

—¡Eh! ¡Doña Lombriz! —dijo doña Lechuza—. Usted puede servir de palito para don Perro.

—¡Qué bien! ¡Estoy en un equipo! —dijo doña Lombriz—.
Soy una Yankee.

—Está bien —dijo doña Lechuza—. Cada uno de ustedes debe correr con un palito.

Luego deben pasárselo al otro miembro de su equipo. —Y recuerden —dijo doña Lechuza—, el palito debe atravesar la meta.

—Muy bien —dijo don Pajarito.

—En sus marcas, listos, fuera.

¡Partieron! Y cómo corrían por la pista. Don Gato, don Conejo y doña Pata esperaban.

—Aquí vienen —gritó doña Pata.

Doña Tortuga le pasó el palito a don Gato.
Doña Rana se lo pasó a don Conejo y don
Perro le pasó el palito a doña Pata.

¡Partieron! Don Gato, don Conejo y doña
Pata corrían por la pista.

—¡Doña Pata va ganando! ¡Doña Pata va ganando! —gritaba don Perro.

Doña Pata sonrió y saludó a la multitud que vitoreaba.

Pero tropezó sobre sus patas palmeadas y
se cayó en una charco de barro grande.
¡Qué desastre!

—Levántese, doña Pata —gritó don Perro.

—¡Ay ay! —se quejó doña Pata—, estoy atascada en el barro.

—No se preocupe, doña Pata —dijo doña
Lombriz—. Yo ganaré la carrera para
nuestro equipo.

Doña Lombriz culebreó y culebreó.

Siguió moviéndose hasta que pasó la meta: ¡y llegó primera!

—¡Doña Lombriz es la ganadora! —gritó doña Araña.

—¡Los Yankees han ganado! —gritó don Perro.

—Un aplauso para doña Lombriz —gritó doña Lechuza.

Culebrea, culebrea,

¿Quién rápido se menea?

Culebrea, culebrea

Se menea doña Lombriz.

Viva, viva, doña Lombriz.

Relación con el tema

Piensa

- Búho compuso una rima de aclamación para Gusano. ¿Qué otra historia te recuerda esa rima de aclamación?

Habla

La mayoría de los juegos tienen cosas iguales y cosas diferentes. ¿En qué se parecen y en qué se diferencian el juego de la carrera y los otros dos juegos que hemos leído? Éstas son algunas preguntas que se pueden comentar:

- ¿En qué se parece el juego de la carrera al romance de Don Gato? ¿En qué se diferencia?
- ¿En qué se parece el juego de la carrera al juego de fingir de Jafta? ¿En qué se diferencia?

Mira el Tablero Concepto/Pregunta. ¿Hay alguna pregunta que puedas contestar ahora? ¿Tienes alguna pregunta nueva acerca de los juegos? Coloca las preguntas en el Tablero.

Tabla de juegos personales

Agrega un nuevo juego que hayas jugado a tu Tabla de juegos personales.

Vocabulario de la selección

entrenadora

equipo

pista

ganadora

En la ciudad de Roma

Tradicional
ilustraciones de Christine Powers

Ésta es la ciudad de Roma,
en la cual hay una puerta.
Esta puerta da a una calle
y la calle va a una plaza.
En la plaza hay una casa;
dentro de la casa, un patio;
en el patio, una escalera:
la escalera va a una sala.
Esta sala da a una alcoba;
en la alcoba hay una cama;
junto a la cama, una mesa;
sobre la mesa, una jaula;
dentro de la jaula, un loro,
que cantando pide a todos:

Que lo saquen de la jaula,
que está encima de la mesa,
que está al lado de la cama,
que está dentro de la alcoba,
que está al lado de la sala,
adonde va la escalera,
que sube desde ese patio,
que está dentro de la casa,
la casa que está en la plaza,
a la que va aquella calle,
a la cual da aquella puerta,
que hay en la ciudad de Roma.

Debajo de un botón

Debajo de un botón, ton, ton,
que encontró Martín, tin, tin,
había un ratón, ton, ton.
Ay qué chiquitín, tin, tin,
era aquel ratón, ton, ton,
que encontró Martín, tin, tin,
debajo de un botón, ton, ton.

Mateo y Mati

por Rebecca C. Jones

ilustraciones de Beth Peck

Mateo y Mati eran buenos amigos.

Juntos andaban en bicicleta,
y juntos jugaban al escondite.

Vendían limonada juntos.
Cuando no había mucho
negocio, jugaban a la rayuela.

Y a veces iban juntos a comer
helado.

Y juntos, hasta llegaron a rescatar
de un árbol el gatito de una señora.

La señora les regaló unas monedas
para las máquinas de dulces.
Y luego mascaron chicle y
recordaron lo valiente que habían
sido.

Pero a veces Mateo y Mati se
cansaban el uno del otro.

Un día mientras coloreaban, a Mateo se le rompió el creyón violeta de Mati. Fue sin querer, pero de todos modos lo rompió.

—Rompiste mi creyón —dijo Mati en tono malhumorado.

—El creyón ya estaba viejo —refunfuñó
Mateo—. Estaba a punto de romperse.

—No lo estaba —dijo Mati—. Estaba
nuevo, y tú lo rompiste. Siempre rompes
todo.

—No seas tan molestosa —dijo Mateo—.
Eres molestosa y apestosa y mala.

—Pues, y tú eres un estúpido —dijo
Mati—.

Eres estúpido y apestoso y malo.

Mateo subió las escaleras enfadado. Solo.

Mati encontró un pedazo de tiza y comenzó a dibujar cuadros y números en la acera. Sola.

Mientras tanto, Mateo sacó su caja y algunas latas para jugar tienda. Colocó las latas unas encimas de otras, y les puso precio a todas.

Fue la mejor tienda que jamás había
hecho. Probablemente como la
molestosa, apestosa y mala de Mati
no estaba para dañarlo.

Pero no había ni un cliente que
visitara su tienda. Y jugar tienda sin
un cliente no era muy divertido.

Mati terminó de dibujar los
cuadros y los números. Los dibujó
con trazos grandes y fuertes. Fue el
mejor juego que jamás había
dibujado.

Problemente como el estupido y
apestoso y malo de Mateo no estaba
para dañarlo.

Pero no tenía con quien jugar. Y
jugar a la rayuela sin un compañero
no era nada divertida.

Mateo asomó la cabeza por la ventana
y se preguntó: ¿Qué hará Mati?

Mati alzó la vista y mirando la ventana de
Mateo se preguntó: ¿Qué hará Mateo?

Mati sonrió, pero sólo un poquito.
Para Mateo fue suficiente.
　　—Lo siento —dijo él.
　　—Yo también —dijo Mati.

Mateo bajó las escaleras
corriendo para jugar con Mati.
Juntos, otra vez.

Relación con el tema

Habla

A veces los amigos pelean. Pero pronto se olvidan del asunto. ¿Te ha pasado esto alguna vez? Éstas son algunas preguntas para comentar.

- ¿Alguna vez has pelado con un amigo?
- ¿Cómo te sentiste?
- ¿Cómo terminaste la pelea?
- ¿Cómo te sentiste después de eso?

Mira el Tablero Concepto/Pregunta y contesta las preguntas que puedas. ¿Tienes alguna pregunta acerca de los juegos? Escríbelas en el Tablero.

Cuenta una historia

Comparte con un compañero de clase, una historia de alguna pelea que hayas tenido con un amigo. Elige a alguien que no sepa la historia.

Vocabulario de la selección

rescatar

romperse

molestosa

enfadado

compañero

La reina de los mares

ilustraciones de Sharon Holm

Con desenvoltura

En el puen-te ma-ri - ne - no   hay u - na ni-ña brin -

can - do,   con su le-tra lo que   di - ce:

"Soy   la   rei - na   de los   ma - res."

"Soy la reina de los mares,
ustedes lo van a ver,
tiro mi pañuelo al suelo
y lo vuelvo a recoger."

Si las cosa no se acaba,
la culpa la tienes tú,
por andar de parrandera
con tu vestidito azul.

(Hablado:)
Uno, dos y tres,
sota, caballo y rey.

Canción para jugar a la cuerda. Se tira
un objeto al suelo que luego se recoje.

Los cuentos folclóricos

¿**T**iene una historia preferida? ¿Tiene gusto de contar historias? Las historias son divertidas a oír y divertidas a decir. Pueden ser tontas o pueden enseñarnos una lección. Podemos ir a los lugares lejos y encontrar todas las clases de caracteres extraños y maravillosos en historias.

La persecución

narrada por Béatrice Tanaka
ilustraciones de Michel Gay
traducción de Gilberto Serrano

El Coyote estaba sentado plácidamente en la pradera cuando, de repente, el Conejo le pasó corriendo por el lado tan rápido como una flecha.

—Si el Conejo va corriendo tan rápido, debe ser que los cazadores lo están persiguiendo —se dijo el Coyote—. Mejor me echo a correr también.

El Alce, quien pacía plácidamente en
el pantano, vio a sus dos amigos que
corrían.

—El Coyote va corriendo muy rápido.
El río debe estar crecido— se dijo el
Alce a sí mismo—. Mejor me voy
también.

El Lobo, quien tomaba una placentera siesta
en su madriguera, se despertó al escuchar el
galope de los tres corredores.

—Si el Alce corre tan deprisa, quiere decir
que hay un incendio en el bosque —se dijo el
Lobo a sí mismo—. Mejor tomo mi siesta más
tarde.

El Oso, quien pescaba tranquilamente en
el arroyo, vio que los cuatro corredores
corrían precipitadamente. Él reconoció a su
amigo el Lobo.

"Si el Lobo corre tan rápidamente, debe
tratarse de una situación seria, muy seria,"
pensó el Oso, y comenzó a caminar
pesadamente detrás de ellos.

Después de haber corrido por un
buen rato, el Oso alcanzó al Lobo, quien
estaba agazapado en un claro del
bosque, exhausto y jadeante.

—¿Qué sucede? —preguntó el Oso—.
Sé que alguien tan valiente como tú no
estaría corriendo a menos que hubiera
un peligro muy grande.

—No tengo la menor idea —dijo el
Lobo—. Debemos preguntarle al Alce.
Cuando lo vi correr tan rápidamente,
decidí que lo mejor sería postergar mi
siesta y seguirlo.

—A ver Alce, ¿por qué corrías?

—No tengo la menor idea —dijo el Alce—.
Deberíamos preguntarle al Coyote. Cuando
lo vi correr tan apresuradamente, pensé que
debería echarme a correr también.

—Dinos Coyote, ¿por qué corrías?

—No tengo la menor idea —dijo el Coyote—. Deberíamos preguntarle al Conejo. Cuando lo vi correr tan rápidamente, pensé que yo debería correr también. Cuando él se detuvo, yo me detuve también. Él sabrá del terrible peligro del que nos hemos salvado.

—Oye, Conejo —dijeron el Oso, el Lobo, el Alce y el Coyote a la vez. ¿Por qué corríamos todos nosotros?

—¿Por qué corrían *ustedes*?
—preguntó el Conejo.

—Yo no tengo la menor idea. *Yo*.... yo
iba tarde a cenar.

Relación con el tema

Piensa

En este cuento tradicional, uno y otro animal se ven involucrados en la persecución. Éstas son algunas preguntas para pensar.

- ¿Por qué todos los animales persiguen a los otros?
- ¿Crees que los animales aprendieron la lección de la persecución?
- ¿Crees que se unirán a la persecución otra vez?

Mira el Tablero Concepto/Pregunta. ¿Hay alguna pregunta que puedes contestar ahora? ¿Tienes alguna pregunta acerca de los cuentos tradicionales? Escribe las preguntas en el Tablero. Quizás la próxima lectura te ayudará a contestar tus preguntas.

Cuenta una historia

Busca a una pareja y piensa en otros animales que podrían unirse a la persecución. Agrégalas al cuento.

Vocabulario de la selección

pradera

galope

situación

exhausto

El gallito mandón

vuelto a narrar por Lucía M. González
ilustraciones by Lulu Delacre

Érase una vez
un gallito mandón
que iba a la boda
de su tío el perico.
Muy elegante y limpiecito
andaba el gallito cuando divisó dos
granitos de maíz amarillitos y relucientes,
en medio del lodo a la orilla del camino.

There was once
a bossy little rooster, *un gallito mandón*,
who was on his way to the wedding
of his uncle the parrot, *su tío Perico*.
He looked very elegant and clean.
As he walked along, he spotted two kernels of corn,
so shiny and gold, very near a puddle of mud.

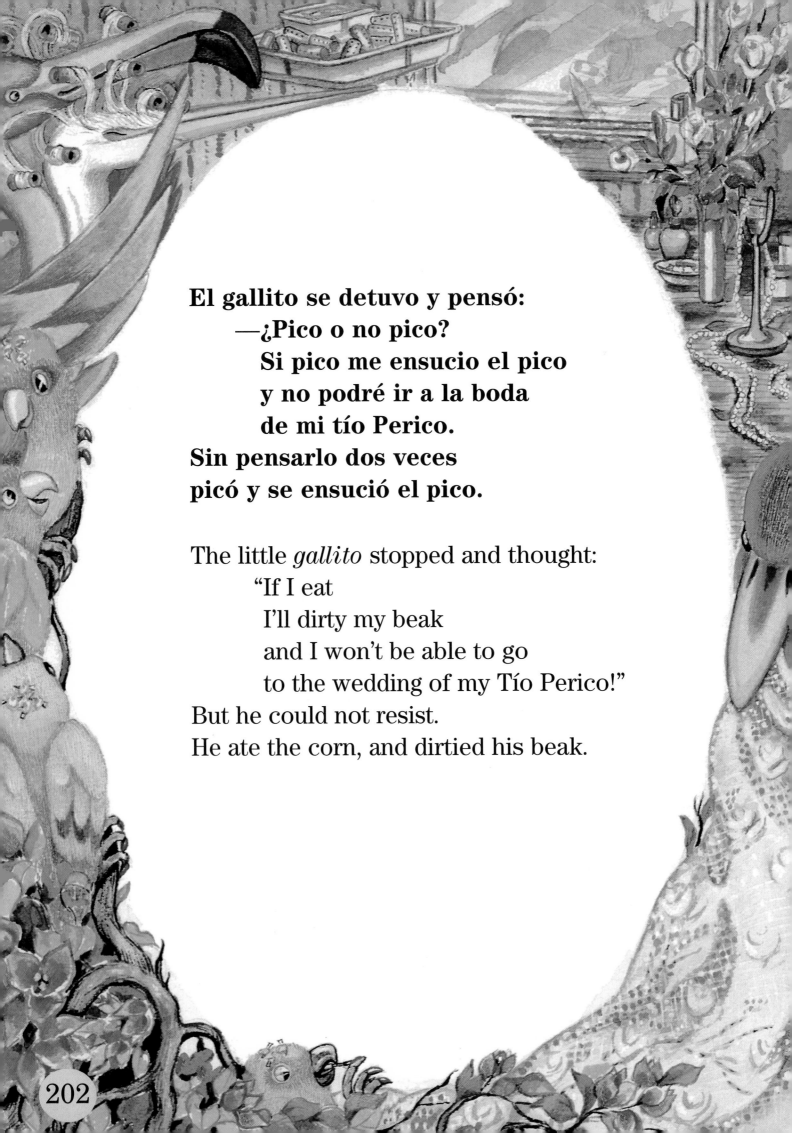

El gallito se detuvo y pensó:
    —¿Pico o no pico?
      Si pico me ensucio el pico
      y no podré ir a la boda
      de mi tío Perico.
Sin pensarlo dos veces
picó y se ensució el pico.

The little *gallito* stopped and thought:
    "If I eat
      I'll dirty my beak
      and I won't be able to go
      to the wedding of my Tío Perico!"
But he could not resist.
He ate the corn, and dirtied his beak.

Más adelante vio la yerba que había al otro
lado del camino.
Entonces le dijo a la yerba:
    —Yerba, límpiame el pico
        para ir a la boda
        de mi tío Perico.
Pero la yerba le contestó:
    —¡No te lo limpiaré!

Just then, he saw some grass to the side
of the road.
So he went to the grass and he said:
    "Grass, clean my *pico*
        so that I can go
        to the wedding of my Tío Perico!"
But the grass said:
    "I will not."

**El gallito entonces fue
a donde estaba el chivo y le ordenó:
—Chivo, cómete la yerba
que no me quiere limpiar el pico
para ir a la boda
de mi tío Perico.**

**Pero el chivo, al que no le gustaba
que lo mandaran, contestó:
—¡No me la comeré!**

The little *gallito* walked a little way
until he saw a goat, and he ordered:
      "Goat, eat the grass
        who won't clean my *pico*
        so that I can go
        to the wedding of my Tío Perico!"
But the goat, who didn't like to be
bossed around, said:
      "I will not."

El gallito camina que te camina
se encontró al palo y le mandó:
—Palo, pégale al chivo
    que no quiere comerse la yerba
    que no me quiere limpiar el pico

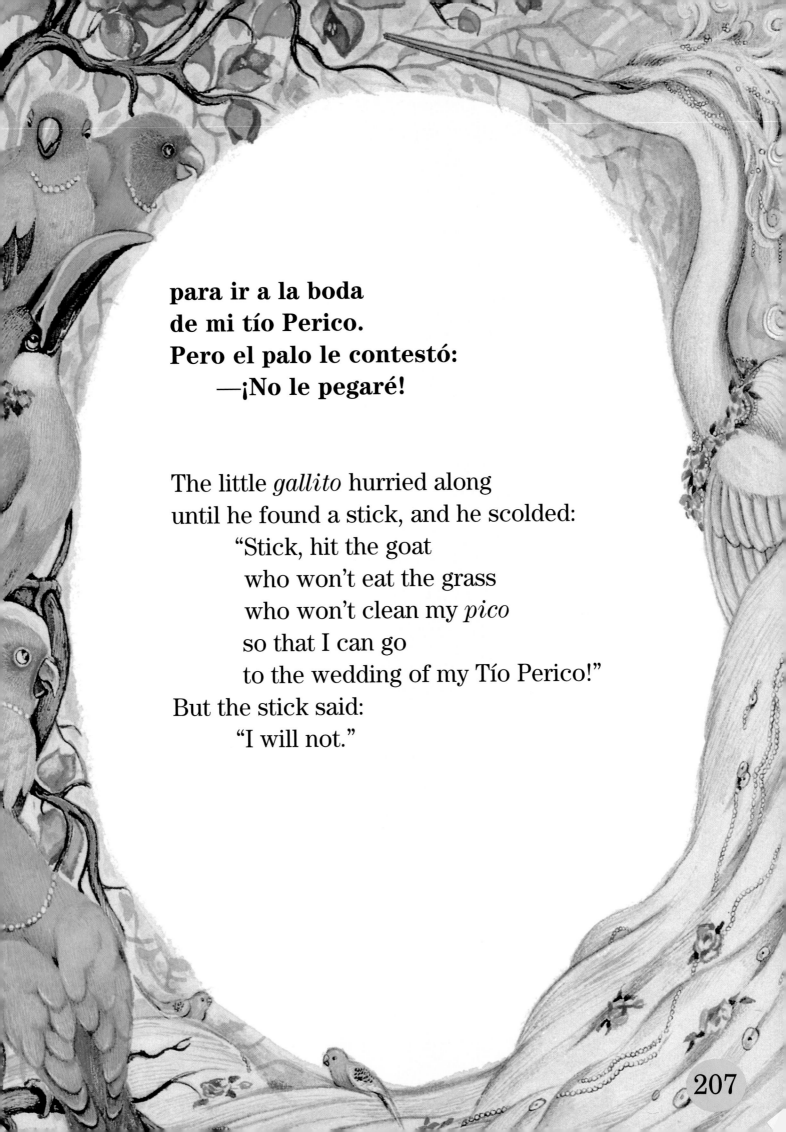

para ir a la boda
de mi tío Perico.
Pero el palo le contestó:
    —¡No le pegaré!

The little *gallito* hurried along
until he found a stick, and he scolded:
    "Stick, hit the goat
        who won't eat the grass
        who won't clean my *pico*
        so that I can go
        to the wedding of my Tío Perico!"
But the stick said:
    "I will not."

**El gallito entonces vio al fuego
que ardía entre un matorral cercano y le
exigió:**
      **—Fuego, quema el palo
      que no quiere pegarle al chivo**

que no quiere comerse la yerba
que no me quiere limpiar el pico
para ir a la boda
de mi tío Perico.
Pero el fuego le contestó:
—¡No lo quemaré!

In a nearby bush, the little *gallito* found
a fire burning.
He ran to the bush and demanded of the fire:
"Fire, burn the stick
who won't hit the goat
who won't eat the grass
who won't clean my *pico*
so that I can go
to the wedding of my Tío Perico!"
But the fire said:
"I will not."

209

Andando muy apresurado, el gallito
se acercó al chorro de agua y le exigió:
—Agua, apaga el fuego
que no quiere quemar el palo
que no quiere pegarle al chivo
que no quiere comerse la yerba

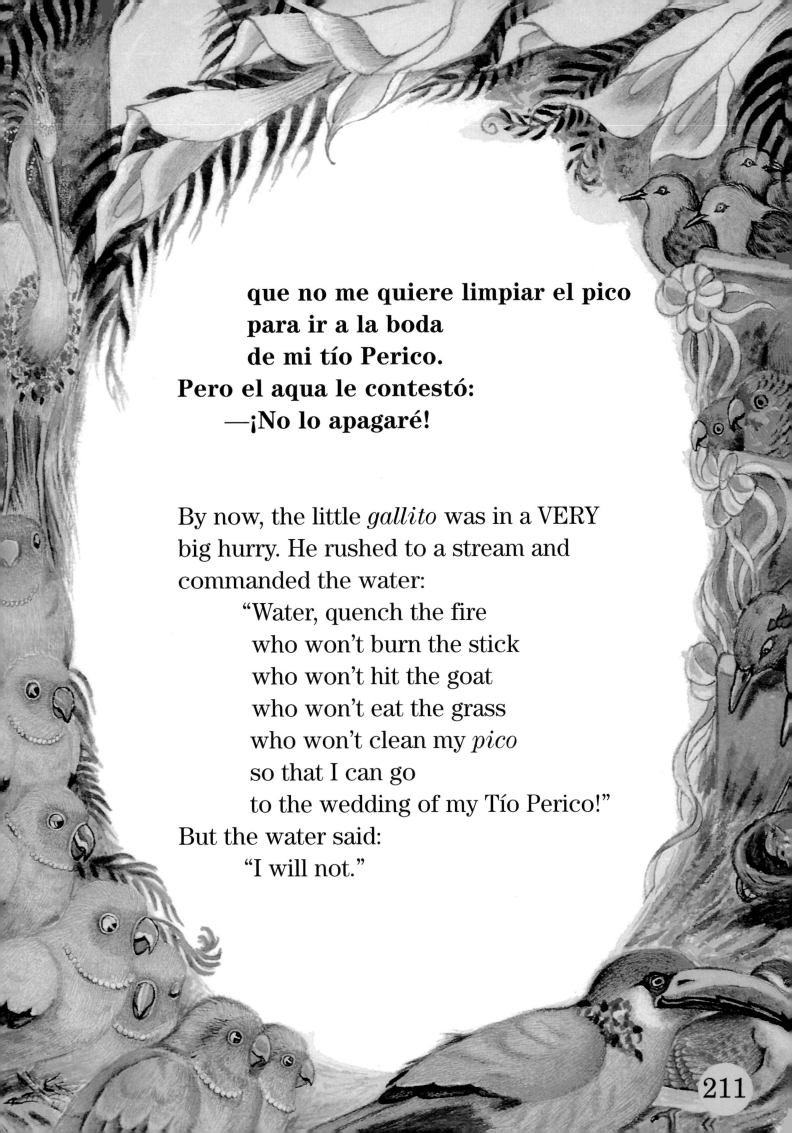

que no me quiere limpiar el pico
para ir a la boda
de mi tío Perico.
Pero el aqua le contestó:
—¡No lo apagaré!

By now, the little *gallito* was in a VERY
big hurry. He rushed to a stream and
commanded the water:
   "Water, quench the fire
      who won't burn the stick
      who won't hit the goat
      who won't eat the grass
      who won't clean my *pico*
      so that I can go
      to the wedding of my Tío Perico!"
But the water said:
   "I will not."

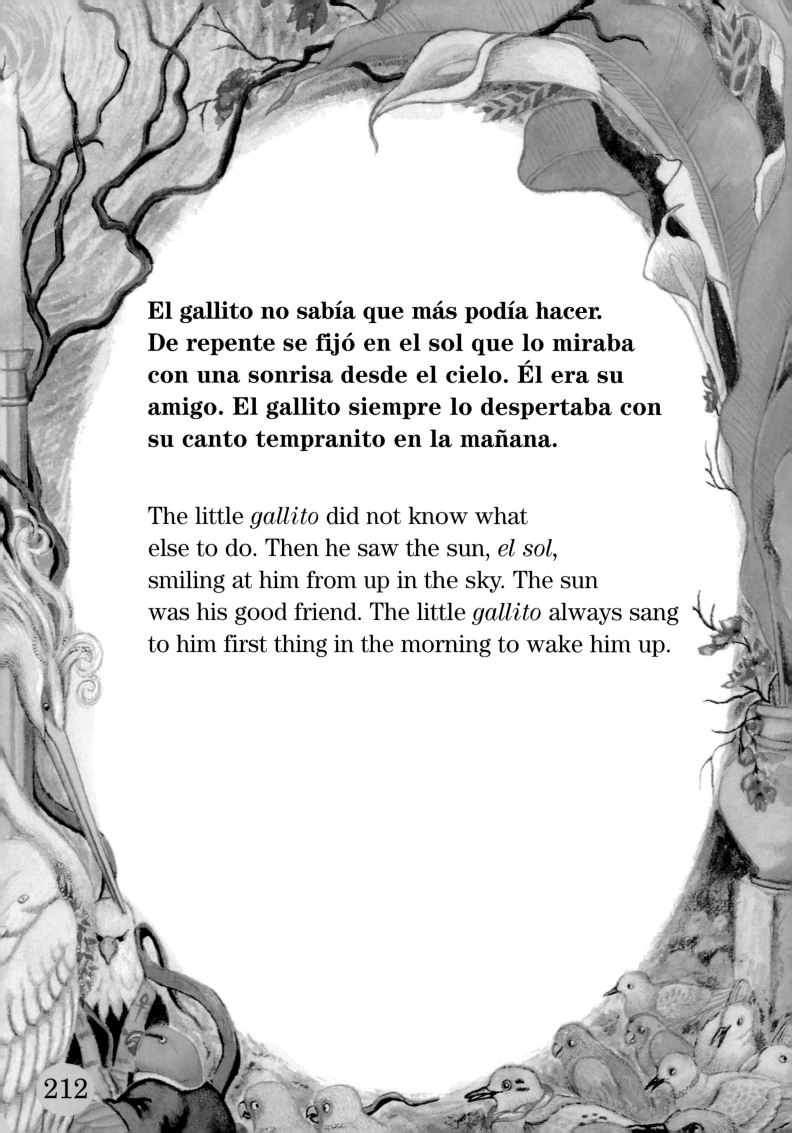

El gallito no sabía que más podía hacer. De repente se fijó en el sol que lo miraba con una sonrisa desde el cielo. Él era su amigo. El gallito siempre lo despertaba con su canto tempranito en la mañana.

The little *gallito* did not know what else to do. Then he saw the sun, *el sol*, smiling at him from up in the sky. The sun was his good friend. The little *gallito* always sang to him first thing in the morning to wake him up.

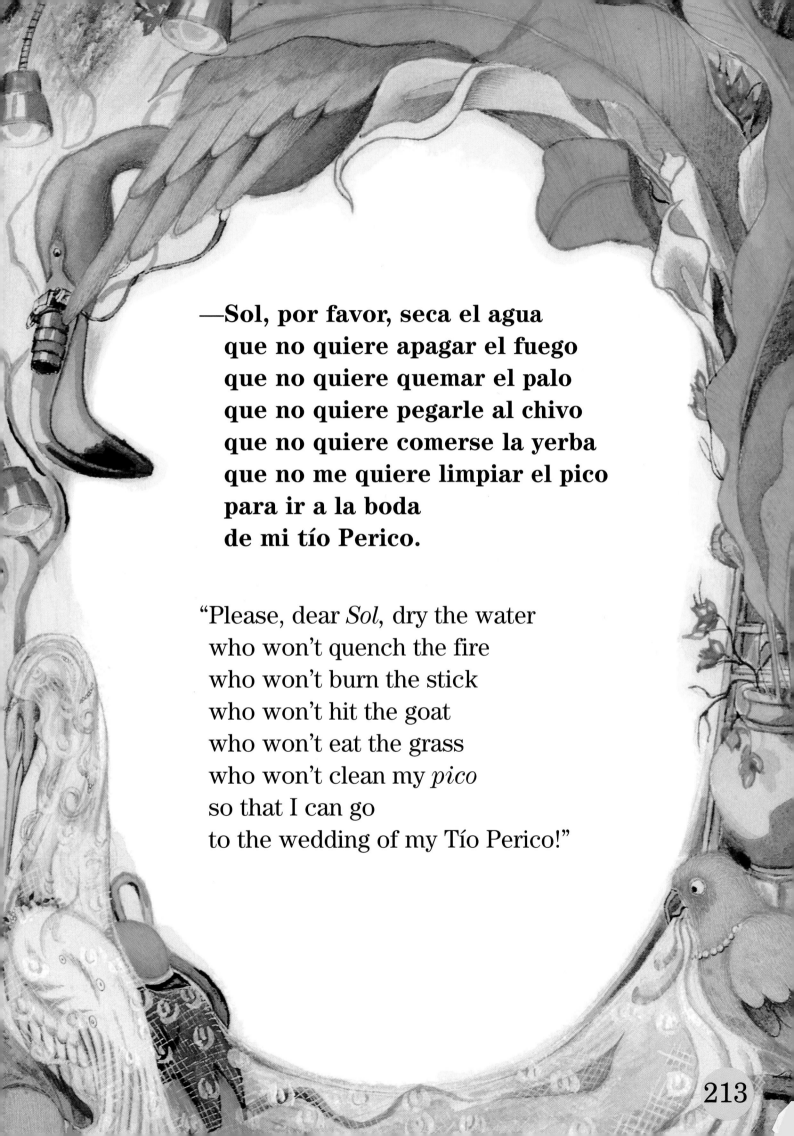

—Sol, por favor, seca el agua
  que no quiere apagar el fuego
  que no quiere quemar el palo
  que no quiere pegarle al chivo
  que no quiere comerse la yerba
  que no me quiere limpiar el pico
  para ir a la boda
  de mi tío Perico.

"Please, dear *Sol*, dry the water
  who won't quench the fire
  who won't burn the stick
  who won't hit the goat
  who won't eat the grass
  who won't clean my *pico*
  so that I can go
  to the wedding of my Tío Perico!"

213

Y el sol le contestó:
   —¡Con gran placer!

And the sun said:
"With pleasure, my friend!
¡Con gran placer!"

Al escuchar al sol, el agua con temor dijo:

— Perdón, yo apagaré el fuego.

Y el fuego dijo:

— Perdón, yo quemaré el palo.

Y el palo dijo:

— Perdón, yo le pegaré al chivo.

The water, who had heard the sun's
reply, said:

"Pardon me, but I will quench the fire."

And the fire said:

"Pardon me, but I will burn the stick."

And the stick said:

"Pardon me, but I will hit the goat."

Y el chivo dijo:

   —Perdón, yo me comeré la yerba.
Y la yerba dijo:
   —Perdón, yo te limpiaré el pico.
Y así lo hizo.

And the goat said:

   "Pardon me, but I will eat the grass."
And the grass said:
   "Pardon me, but I will clean your *pico*."
And so it did.

**El gallito le dio las gracias a su amigo
el sol con un largo:**
—¡QUI-QUI-RI-QUÍ!

The little *gallito* thanked his good
friend *el sol* with a long:
   "¡QUI-QUI-RI-QUÍ!
   COCK-A-DOODLE-DOO!"

218

. . . y siguió su camino apuradito para llegar a tiempo a la boda de su tío Perico.

. . . and he rushed the rest of the way to get to the wedding on time.

Relación con el tema

Piensa

Éstas son algunas preguntas que te ayudarán a pensar sobre la historia.

- ¿Crees que el gallo aprendió la lección?
- ¿Crees que pedirá ayuda de una manera diferente la próxima vez?

Mira el Tablero Concepto/Pregunta. ¿Hay alguna pregunta que puedes contestar ahora? ¿Tienes alguna pregunta acerca de los cuentos tradicionales? Escribe las preguntas en el Tablero. Quizás la próxima lectura te ayudará a contestar tus preguntas.

Haz un dibujo

Divide una hoja de papel por la mitad. En un lado, dibuja cómo se siente el gallo cuando no recibe ayuda. En el otro lado, dibuja cómo se sentiría el gallo si recibiera ayuda.

Vocabulario de la selección

elegante

ordeno

apaga

placer

Anansi y el melón parlante

vuelto a narrar por Eric A. Kimmel
ilustraciones de Janet Stevens
traducción de Luis E. Latoja

Una agradable mañana, Anansi la araña estaba sentada en lo alto de un espino mirando el jardín de don Elefante. Éste estaba azadonando su sembrado de melones. Los melones maduros parecían decirle a Anansi: —¡Míranos! Estamos jugosos y dulces. ¡Ven a comernos!

A Anansi le encantaba comer melones pero era demasiado perezoso como para cultivarlos él mismo. Así es que se sentaba en el espino a mirar y esperar mientras el sol ascendía en lo alto del cielo y la temperatura subía.

Hacia el mediodía, hacía demasiado calor para poder trabajar. Don Elefante dejó su azadón a un lado y entró en su casa para dormir la siesta.

Éste era el momento que había estado esperando Anansi. Rompió una espina y bajó hacia el sembrado de melones. Usó la espina para perforar un agujero en el melón más grande y maduro.

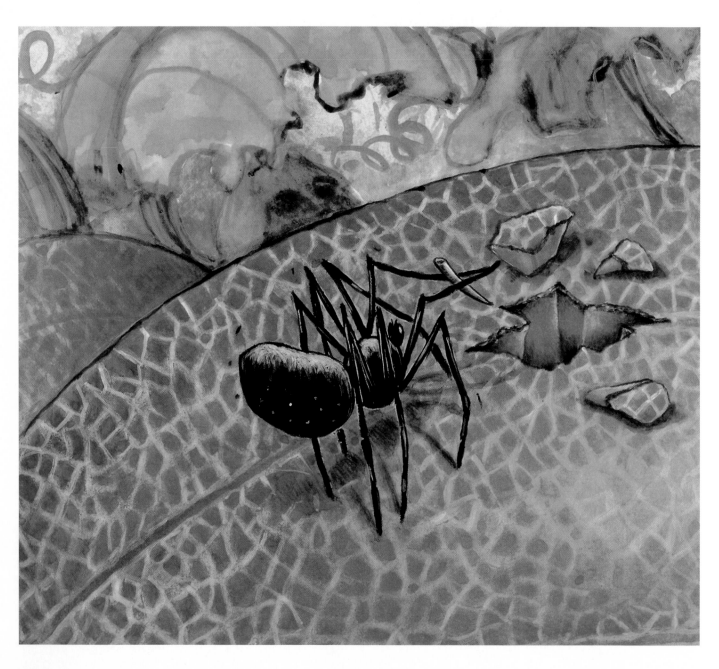

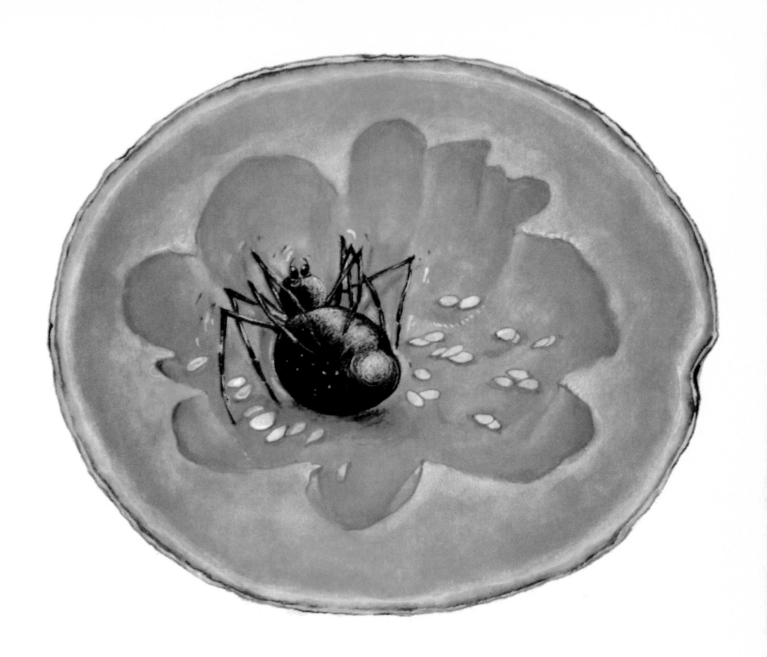

Anansi se metió dentro del melón y
empezó a comer. Comió y comió hasta
que se puso redonda como una baya.

—Estoy satisfecha —dijo Anansi
finalmente—. Don Elefante regresará
pronto. Es hora de que me vaya.

Pero cuando intentó salir por el agujero, Anansi recibió una sorpresa. ¡No podía pasar! El agujero era lo suficientemente grande para una araña delgada pero demasiado pequeño para una gorda.

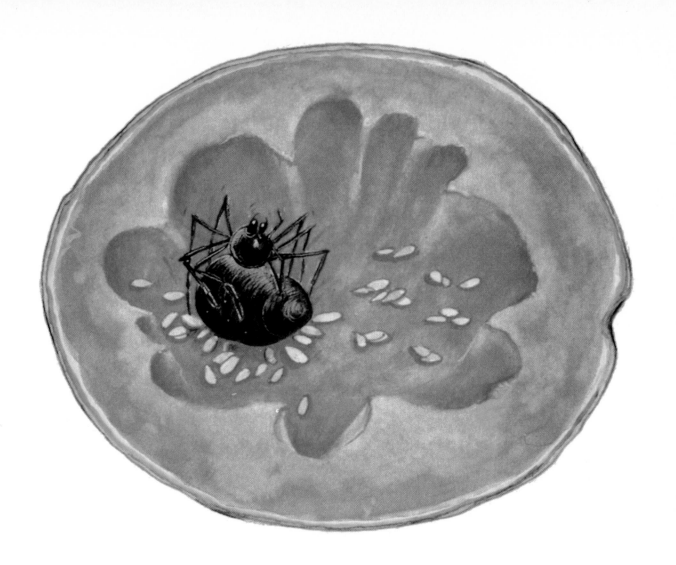

—¡Estoy atascada! —exclamó
Anansi—. No puedo salir. Tendré que
esperar hasta que esté delgada
nuevamente.

Anansi se sentó en un montoncito
de semillas de melón y esperó hasta
que se pusiera más delgada. El
tiempo pasaba lentamente.

—Qué aburrida estoy —dijo
Anansi—. Ojalá tuviera algo que
hacer.

Justo en ese momento escuchó los pasos de don Elefante, quien regresaba a su jardín. A Anansi se le ocurrió una idea: —Cuando don Elefante esté más cerca, voy a decir algo. Don Elefante va a pensar que el melón está hablando. ¡Qué divertido va a ser!

Don Elefante se encaminó a su sembrado de melones. —Miren este melón bonito. ¡Qué grande y maduro está! —dijo— recogiéndolo.

—¡Ay! —gritó Anansi.

Don Elefante pegó un salto. —¡Eh!
¿Quién habló?

—Fui yo. El melón —dijo Anansi.

—No sabía que los melones
pudieran hablar —dijo don Elefante.

—Por supuesto que sí. Hablamos
todo el tiempo. El problema es que tú
nunca escuchas.

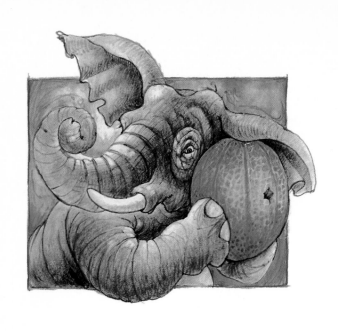

—¡No puedo creerlo!
—exclamó don Elefante—.
¡Un melón parlante! ¿Quién
lo creería? Debo mostrárselo
al rey.

Don Elefante corrió llevando
el melón consigo y a Anansi
en su interior. Por el camino,
se topó con don Hipopótamo.

—¿Adónde va con ese melón?
—le preguntó don Hipopótamo.

—Se lo llevo al rey —le
contestó don Elefante.

—¿Para qué? El rey tiene cientos de melones.

—Pero él no tiene uno como éste —dijo don Elefante—. Éste es un melón que habla.

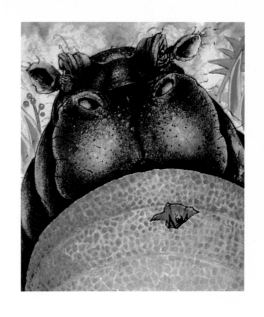

Don Hipopótamo no lo creyó.

—¿Un melón que habla? ¡Pero qué idea es ésa! Eso es tan ridículo como . . .

— . . . un hipopótamo flacucho —dijo el melón.

Don Hipopótamo se enrojeció de ira.

—¿Quién dijo eso? ¿Usted dijo eso
don Elefante?

—No fui yo. Fue el melón —dijo don
Elefante—. Le dije que el melón hablaba.
¿Me cree ahora?

—Sí, claro que sí —exclamó don
Hipopótamo—. Quiero ir con usted también.
Quiero escuchar lo que dice el rey cuando
usted le muestre este melón parlante.

—Vamos, entonces —dijo don Elefante.

Entonces don Elefante y don
Hipopótamo se fueron juntos por el
camino llevando el melón.

Más tarde se toparon con don Jabalí.

—¿Adónde llevan ese melón? —les
preguntó don Jabalí.

—Se lo llevamos al rey —le
respondieron don Elefante y don
Hipopótamo.

—¿Para qué? El rey tiene cientos de
melones —dijo don Jabalí.

—Pero él no tiene uno como éste
—respondió don Hipopótamo—.
Este melón habla. Yo lo escuché.

Don Jabalí comenzó a reírse.

—¿Un melón que habla? Vamos, eso
es tan ridículo como . . .

— . . . un jabalí buenmozo —dijo
el melón.

234

Don Jabalí se enojó tanto que tembló entero. —¿Quién dijo eso? ¿Usted dijo eso, don Elefante? ¿Usted dijo eso, don Hipopótamo?

—Por supuesto que no —le dijeron los dos al mismo tiempo—. Es el melón. ¿Nos cree ahora?

—Sí, les creo —gritó don Jabalí—.
Déjenme ir con ustedes. Quiero ver lo
que hace el rey cuando le muestren
este melón parlante.

De esta manera, los tres se fueron
juntos por el camino, llevando el melón.

Por el camino, se encontraron con doña Avestruz, don Rinoceronte y doña Tortuga.

Ellos no creían que el melón pudiera hablar hasta que lo escucharon por sí mismos. Y entonces también quisieron unirse al grupo.

Los animales se presentaron ante el rey. Don Elefante hizo una reverencia y colocó el melón a los pies del rey.

El rey bajó la vista. —¿Por qué me habéis traído un melón? —le preguntó a don Elefante—. Tengo cientos de melones que crecen en mi huerta.

—Pero vuestra majestad no tiene un melón como éste —dijo don Elefante—. Este melón habla.

—¿Un melón que habla? No lo creo. Melón, di algo. El rey le dio al melón con el pie.

El melón no dijo nada.

—Melón —dijo el rey con voz ligeramente más fuerte—, no hay razón para ponerse tímido. Di lo que deseas. Yo sólo deseo oírlo hablar.

El melón seguía sin decir nada. El rey se impacientaba.

—Melón, si puedes hablar, deseo que me digas algo. Te ordeno que hables.

El melón no hizo ningún ruido.

El rey se dio por vencido. —Bueno, éste es un melón tonto —dijo él.

Y en ese momento habló el melón: —¿Yo, tonto? ¿Por qué dice eso su majestad? Yo no soy el que les habla a los melones.

Los animales nunca habían visto tan enojado al rey. —¡Cómo se atreve este melón a insultarme! —gritó. El rey recogió el melón del suelo y lo lanzó tan lejos como pudo.

El melón rebotó y rodó hasta llegar
a la casa de don Elefante. ¡PUM!
Chocó contra el espino y se rompió en
pedazos. Anansi se levantó y salió de
la corteza del melón.

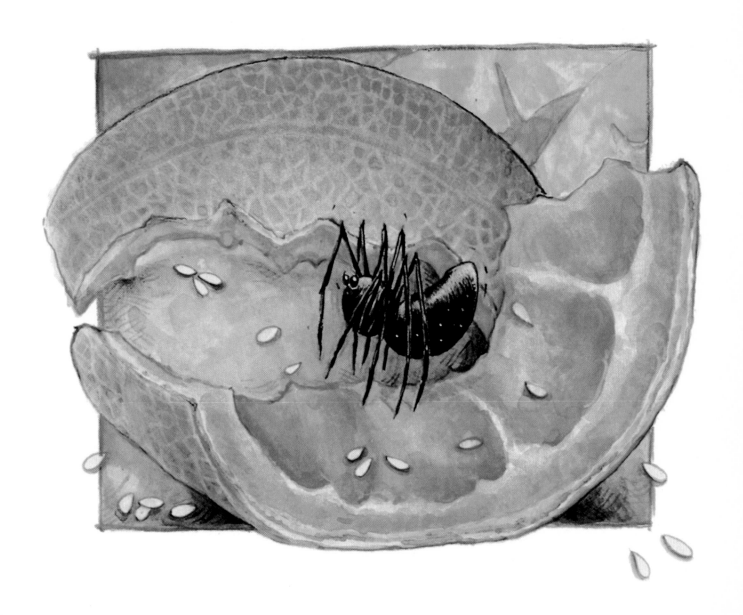

Toda esa conmoción la había
adelgazado. Y ahora que estaba
delgada nuevamente, tenía hambre.
Anansi subió por el banano. Se
acomodó en el medio de un gran
racimo de bananas y comenzó
a comer.

Don Elefante regresó a su casa.
Se dirigió directamente a su sembrado
de melones.

—Melones, ustedes me metieron en
un lío con el rey —dijo don Elefante—.
De ahora en adelante, podrán hablar
todo lo que quieran. Pero yo no voy a
poner atención a nada de lo que digan.

—Eso es, don Elefante— gritó
Anansi desde el banano. —Nosotras
las bananas deberíamos haberle
advertido. Los melones parlantes no
son nada sino problemas.

Relación con el tema

Piensa

Los animales en los cuentos tradicionales a menudo hablan y se comportan de la misma manera que lo hacemos nosotros. Éstas son algunas preguntas para pensar.

- ¿Por qué creyeron los animales que el melón podía hablar?
- ¿Aprendieron la lección los animales?
- ¿Cuál lección aprendieron?
- ¿Creerían que el melón hablaría si esto pasara de nuevo?

Mira el Tablero Concepto/Pregunta. ¿Hay alguna pregunta que puedes contestar ahora? ¿Tienes alguna pregunta acerca de los cuentos tradicionales? Escribe las preguntas en el Tablero. Quizás la próxima lectura te ayudará a contestar tu pregunta.

Diseña una tira cómica

Imagínate que te encuentras con el elefante que llevaba el melón con Anansi adentro. ¿Qué te diría Anasi? Dibuja una tira cómica y escribe las palabras en una burbuja de diálogo.

Vocabulario de la selección

espino

perforar

ridículo

impacientaba

Los tres cabritos del monte

*cuento popular
vuelto a narrar por*
Christine Crocker

*ilustraciones de
Holly Hannon*

*traducción de
Gilberto Serrano*

Había una vez tres hermanos cabritos llamados Gruff que vivían a orillas de un río. Al otro lado del río había una pradera cubierta de yerba alta y muy verde.

Un día, los tres cabritos decidieron cruzar el río para comer de la yerba. Sin embargo, sólo había un puente para cruzarlo. Debajo de ese puente vivía un gnomo malvado y hambriento. Sus ojos eran tan grandes como platillos y su nariz tan larga como un atizador.

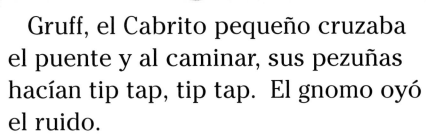

Gruff, el Cabrito pequeño cruzaba el puente y al caminar, sus pezuñas hacían tip tap, tip tap. El gnomo oyó el ruido.

—**¿Quién camina y hace ese ruido sobre mi puente?** —gruñó el gnomo.

—Soy yo, Gruff, el Cabrito pequeño— dijo con su pequeña voz.

—**¡Serás mi desayuno!** —dijo el gnomo.

—No, por favor, no —dijo el Cabrito—. Espera a que llegue mi hermano mayor. Como él es más grande que yo sería un mejor desayuno para un gnomo tan grande como tú.

—Muy bien —dijo el gnomo glotón. Y así el gnomo dejó que el Cabrito pequeño cruzara el puente.

Más tarde, Gruff, el Cabrito mediano comenzó a cruzar el puente. Sus patas medianas hacían tip tap, tip tap, mientras caminaba.

—**¿Quién hace ese ruido sobre mi puente?** —gritó el gnomo.

—Soy yo, Gruff, el Cabrito mediano —dijo el Cabrito con su mediana voz.

—**¡Serás mi desayuno!** —gruñó el gnomo. Dio un brinco y se subió al puente.

—No, por favor, no —dijo el Cabrito.
—Soy muy pequeño. Espera a mi hermano mayor. Él será una mejor comida para un gnomo tan grande como tú.

—Muy bien —dijo el duende glotón. Y dejó que Gruff, el Cabrito mediano, cruzara el puente.

Luego, Gruff, el Cabrito Grande comenzó a cruzar el puente. Sus grandes patas hacían tip tap, tip tap. El puente se estremecía.

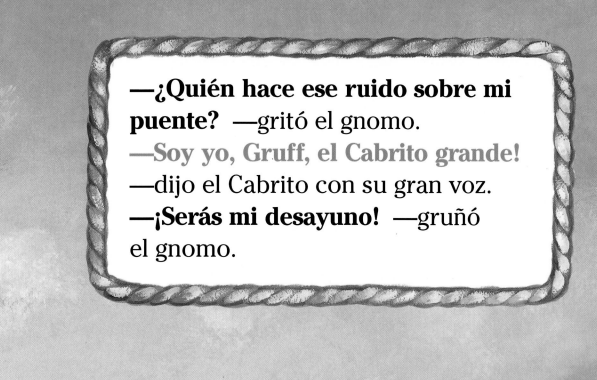

—¿Quién hace ese ruido sobre mi puente? —gritó el gnomo.

—Soy yo, Gruff, el Cabrito grande! —dijo el Cabrito con su gran voz.

—¡Serás mi desayuno! —gruñó el gnomo.

—Oh, no lo seré —dijo el Cabrito. Gruff, el Cabrito Grande, corrió hacia el gnomo y le dio un golpe con sus cuernos y éste cayó en el río. Nunca más se oyó hablar del gnomo.

Luego los tres cabritos del monte llamados Gruff fueron a la pradera del río. Comieron toda la yerba que querían y vivieron allí felices por siempre.

Y colorín, colorado este cuento se ha acabado.

Relación con el tema

Habla

Éstas son algunas preguntas para pensar. Luego únete a un grupo pequeño y coméntalas.

- ¿Es ésta una historia verdadera?
- ¿Cómo lo sabes?

Mira el Tablero Concepto/Pregunta. ¿Hay alguna pregunta que puedes contestar ahora? ¿Tienes alguna pregunta acerca de los cuentos tradicionales? Escribe las preguntas en el Tablero. Quizás la próxima lectura te ayudará a contestar tus preguntas.

Usa voces de los personajes del cuento

Dividan la clase en grupos de cuatro. Cada miembro del grupo puede elegir uno de los personajes del cuento para representarlo. Digan el cuento juntos. Recuerden que deben hablar con la voz del personaje.

Vocabulario de la selección

pradera

desayuno

glotón

felices por siempre

La caperucita verde

vuelta a narrar por Gianni Rodari

ilustraciones de Nadine Bernard Westcott

traducción de Luis E. Latoja

Abuelito— Había una vez una niñita llamada Caperucita Amarilla.

Niñita— ¡No! ¡Caperucita Roja!

Abuelito— Sí, por supuesto, la Caperucita Roja. Bueno, un día la llamó su mamá y le dijo: —Caperucita Verde...

Niñita— ¡Roja!

Abuelito— ¡Lo siento! Roja.
—Hija mía, llévale estas
papas a tu tía María.

Niñita— ¡No! ¡Así no es!
—Llévale estos pasteles a tu
abuelita.

Abuelito— Está bien.
Y así la niñita salió de casa y en el bosque se encontró con una jirafa.

Niñita— ¡Pero qué enredo tienes con este cuento! ¡Era un lobo!

Abuelito— Y el lobo dijo: —¿Cuánto es seis por ocho?

Niña— ¡No! ¡No! El lobo le preguntó adónde iba.

Abuelito— Así fue. Y Caperucita Negra le contestó...

Niñita— ¡Roja! ¡Roja! ¡Roja!

Abuelito— La niña contestó: —Voy al mercado a comprar tomates.

Niñita— No. Ella dijo: —Voy a la casa de mi abuelita, que está enferma, pero me he perdido.

Abuelito— ¡Claro que sí! Y el caballo dijo...

Niñita— ¿Qué caballo? ¡Era un lobo!

Abuelito— Es verdad. Y esto es lo que dijo: —Toma el autobús número 75, bájate en la plaza principal, dobla a la derecha y en la primera entrada vas a ver tres peldaños. Deja los peldaños donde están, pero recoge el *dime* que vas a encontrar encima de ellos y cómprate un paquete de chicle.

Niñita— Abuelito, eres muy malo para narrar cuentos. Los confundes todos, pero a pesar de todo, no me vendrían nada mal unos chicles.

Abuelito— Muy bien, aquí está tu *dime*. Y ahora terminaré de leer el periódico.

Relación con el tema

Habla

Piensa en las diferencias entre la Caperucita verde y este cuento a medida que hablas de estas preguntas.

- ¿Cómo cambió el cuento el abuelo?
- ¿Por qué cambió el cuento?
- ¿Crees que el abuelo de verdad no sabía el cuento?
- ¿Crees que está bien cambiar un cuento como lo hizo el abuelo?

Mira el Tablero Concepto/Pregunta. ¿Hay alguna pregunta que puedes contestar ahora? ¿Tienes alguna pregunta acerca de los cuentos tradicionales? Escribe las preguntas en el Tablero. Quizás la próxima lectura te ayudará a contestar tu pregunta.

Cuenta una historia

Elige a un compañero. Elijan uno de sus cuentos de hadas favorito e inventen una versión absurda. Pídele a tu compañero que adivine el nombre del cuento de hadas de verdad. Luego deja que tu compañero tenga un turno.

Vocabulario de la selección

enredo

entrada

encima

paquete

271

La noche de las estrellas

por Douglas Gutiérrez

ilustraciones de María Fernanda Oliver

Hace mucho tiempo, en un pueblo que no está ni cerca, ni lejos, síno mucho más allá, vivía un señor al que no le gustaba la noche.

Durante el día, a la luz del sol, el señor disfrutaba tejiendo sus cestas, cuidando sus animales y regando su huerto. A veces, mientras descansaba, se ponía a cantar. Pero cuando el sol se ocultaba detrás de la montaña, el señor al que no le gustaba la noche se entristecía. Todo a su alrededor se iba poniendo gris, oscuro y negro.

— Otra vez la noche. ¡Qué fastidio con la noche!

El señor guardaba sus animales, recogía las cestas, encendía la lámpara y se encerraba en su casa. A veces, se asomaba por la ventana, pero no había nada que ver en la noche negra. Entonces, apagaba la lámpara y se acostaba a dormir.

Una tarde, cuando el sol ya desaparecía,
el señor decidió subir a la montaña.
La noche venía tapando el cielo azul.
El señor escaló hasta la punta del cerro
más alto y desde allí gritó:

— Mira, noche. Párate.

Y la noche paró un momento.

— ¿Qué pasa? — preguntó con una voz suave y ronca.

— Noche, tú no me gustas. Cuando tú llegas, se va la luz y se van los colores. Sólo queda la oscuridad.

— Tienes razón —respondió la noche—. Así es.

— Dime, ¿adónde te llevas la luz?

— Bueno, la luz se esconde detrás de mí. No puedo hacer nada. Lo siento.

Y la noche terminó de estirarse y tapó de negro todas las cosas.

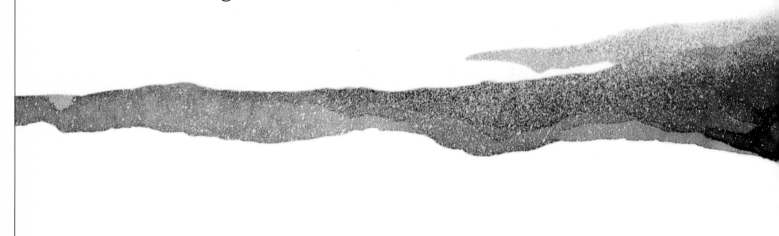

El señor bajó de la montaña y se acostó
a dormir.

Pero no pudo dormir. Recordaba su conversación con la noche. Al día siguiente trabajó muy poco, pensando y pensando en las palabras de la noche. Y esa tarde, cuando la luz volvió a desaparecer, dijo:

— Ya sé lo que tengo que hacer.

Subió una vez más a la montaña. La noche era un inmenso toldo negro que lo cubría todo. Cuando llegó hasta la punta del cerro más alto, el señor se empinó, alzó su mano y hundió un dedo en el cielo negro. Un agujerito se abrió y brilló un puntico de luz. El señor al que no le gustaba la noche se puso contentísimo. Abrió agujeritos por todas partes y en todas partes brillaron punticos de luz.

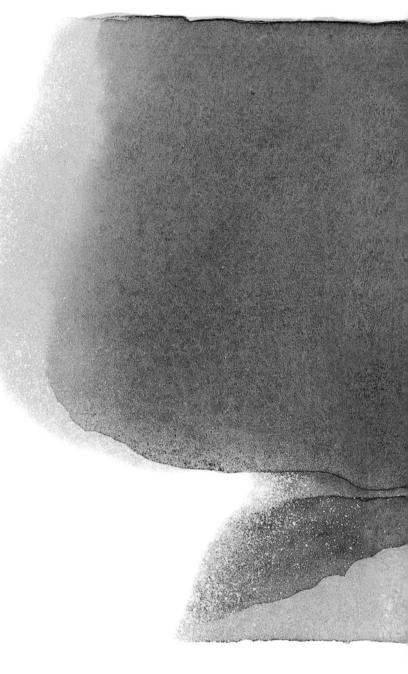

Maravillado, apretó la mano y de un golpe metió el puño entero. Entonces, se abrió un hueco enorme por donde se asomó una luz grande y redonda como una toronja. La luz que se escapaba por los agujeros de la noche bajó por la montaña, y un brillo tenue y plateado iluminó los campos, las casas, la iglesia y la plaza.

Esa noche nadie durmió en el pueblo.

Desde entonces, cuando el sol se oculta,
el cielo se llena de luces y la gente puede
quedarse hasta muy entrada la noche
mirando la luna y las estrellas.

Relación con el tema

Piensa

Éstas son algunas preguntas que puedes usar para pensar sobre el cuento.

- ¿Por qué al señor no le gusta la noche?
- ¿Qué hizo el señor para remediar la situación?
- ¿Crees que el señor abrió huecos en el cielo de verdad?

Mira el Tablero Concepto/Pregunta. ¿Hay algunas preguntas que puedes contestar ahora? ¿Tienes alguna pregunta acerca de los cuentos tradicionales? Escribe las preguntas en el Tablero. La próxima lectura te puede ayudar a contestar tus preguntas.

Comparte con otros compañeros

Pregúntale a un compañero si le.s gusta la noche o si prefiere el día. Hazte tú mismo esa pregunta. Comparen sus repuestas.

Vocabulario de la selección

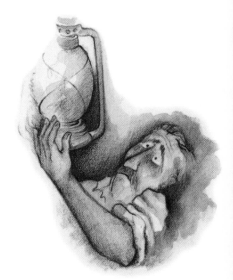

descansaba

guandaba

desaparecía

oscuridad

El rey mocho

Carmen Berenguer

ilustraciones de Carmen Salvador

Én un pequeño pueblo vivía un rey a quien le faltaba una oreja.

Pero nadie lo sabía. Siempre tenía puesta su larga peluca de rizos negros.

La única persona que conocía
su secreto era el viejo barbero
de palacio que debía cortarle el
cabello una vez al mes. Entonces,
se encerraba con él en la torre
más alta del castillo.

Un día, el viejo barbero se enfermó. Dos semanas después murió y el rey no tenía quién le cortara el cabello. Pasaron dos, tres días; dos, tres semanas, y ya las greñas comenzaban a asomar por debajo de la peluca.

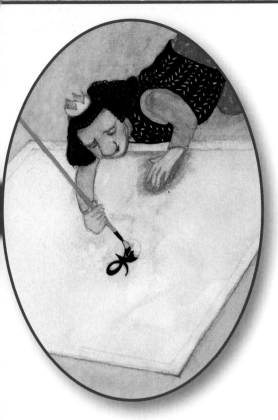

El rey comprendió, entonces, que debía buscar un nuevo barbero. Bajó a la plaza en día de mercado y pegó un cartel en el tarantín donde vendían los mangos más sabrosos:

El Rey busca barbero joven,
hábil y discreto.

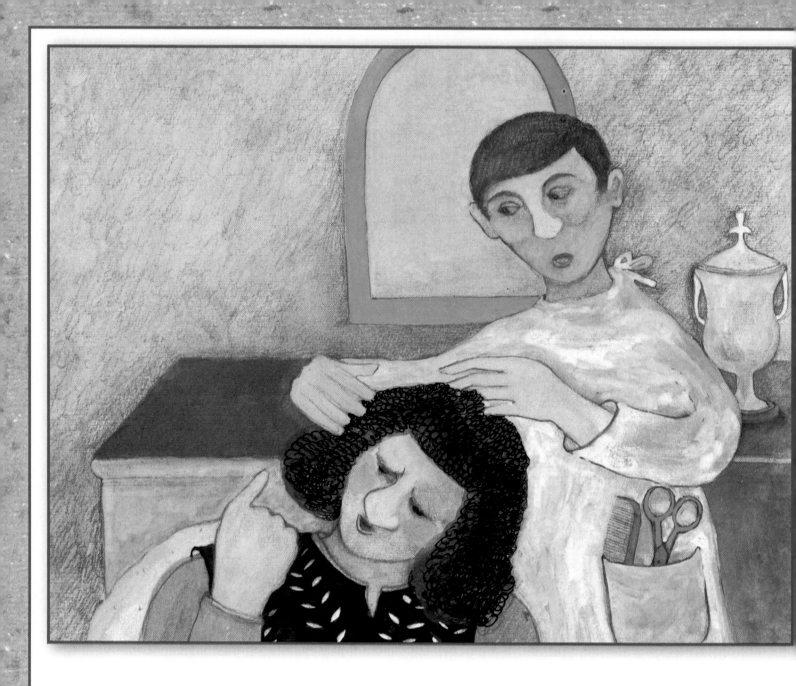

Esa noche llegó al palacio un joven barbero.
Y cuando comenzó a cortar el pelo, descubrió
que el rey era mocho de una oreja.

—Si lo cuentas — dijo el rey con mucha
seriedad— te mando a matar.

El nuevo barbero salió del palacio con ese gran secreto. "El rey es mocho" pensaba, "y no puedo decírselo a nadie. Es un secreto entre el y yo". Pero no podía dejar de pensar en el secreto y tenía ganas de contárselo a todos sus amigos.

Cuando sintió que el secreto ya iba e estallarle por dentro, corrió a la montaña y abrió un hueco en la tierra. Metió la cabeza en el hueco y gritó durísimo:

¡EL REY ES MOCHO!

Tapó el hueco con tierra y así enterró el secreto. Por fin se sintió tranquilo y bajó al pueblo.

Pasó el tiempo y en ese lugar creció una
linda mata de caña. Un muchacho que
cuidaba cabras pasó por allí y cortó una
caña para hacerse una flauta. Cuando estuvo
lista la sopló y la flauta cantó:

El rey es mocho no tiene oreja
por eso usa peluca vieja.

El muchacho estaba feliz con esta flauta que cantaba con sólo soplarla. Cortó varias cañas, preparó otras flautas y bajó al pueblo a venderlas. Cada flauta, al soplarla, cantaba:

El rey es mocho no tiene oreja por eso usa peluca vieja.

Y todo el pueblo se enteró de que al rey le faltaba una oreja.

El rey se puso muy rojo y muy
bravo. Subió a la torre del castillo y
se encerró un largo rato. Pensó,
pensó, pensó… Luego bajó, se quitó
la peluca y dijo:

—La verdad es que las pelucas
dan mucho calor.

Y sólo se la volvió a poner en
Carnaval.

Relación con el tema

Piensa

Éstas son algunas preguntas que puedes usar para pensar sobre el cuento.

- ¿Cuál era el secreto del ray?
- ¿Cómo se descubrió su secreto?
- ¿Qué hizo el rey cuando se supo su secreto?

Mira el Tablero Concepto/Pregunta. ¿Hay algunas preguntas que puedes contestar ahora? ¿Tienes alguna pregunta acerca de los cuentos tradicionales? Escribe las preguntas en el Tablero. La próxima lectura te puede ayudar a contestar tus preguntas.

Haz un dibujo

En una hoja de papel dividida en dos, dibuja cómo el rey se sintió cuando nadie sabía que no tenía una oreja. Dibuja también cómo el rey se sintió después de que se descubrió su secreto.

Vocabulario de la selección

castillo

barbero

mercado

mocho

La zorra y la cigüeña

adaptación de Maria Eulália Valeri

ilustraciones de Francesc Infante

U na vez se encontraron una cigüeña
y una zorra. Se pusieron a hablar y llegó la
hora de comer.

La zorra, que era muy astuta, sonriendo por lo bajo le dijo a su compañera:

Querida cigüeña, me voy a casa, que tengo hambre. Si quieres venir, hoy tengo una sopa de lo mejor.

¡Encantada! —contestó muy contenta la cigüeña—. Muy agradecida, querida zorra, eres muy amable.

¡Hala, pues, vámonos!

Y para allí se fueron. Al poco rato,
llegaron a la madriguera de la zorra, bajo
unos pinos muy altos.

Cuando estuvieron dentro, la zorra empezó
a poner la mesa. Puso un plato llano y lleno
de sopa delante de la cigüeña y otro plato
llano y lleno de sopa para ella.

Después sacó del horno un pollo asado y lo dejó encima de la mesa.

¡Hale! —dijo la zorra—, ya podemos empezar a comer.

La pobre cigüeña quiso probar la sopa, pero con su pico delgado y largo no hacía más que golpear el fondo del plato.

«¡Tac, tac, tac!», hacía su pico.

Y la zorra se reía al decir:

¿Te gusta la comida? ¿Verdad que está buena?

Entretanto, la muy desvergonzada lamía su
plato de arriba abajo hasta no dejar ni una
gota de sopa. Luego se comió el pollo sin dejar ni
un hueso.

La cigüeña, naturalmente, se fue muy enfadada
a su casa.

Y hete aquí que al cabo de un tiempo la cigüeña encontró a la zorra.

¡Hola, querida zorra! —le dijo—. Hoy quiero invitarte yo. ¿Vienes a casa a comer?

La zorra, que siempre tenía mucha hambre, contestó enseguida:

¡Oh, sí, sí! Muchas gracias, querida cigüeña.

Al llegar a casa de la cigüeña la mesa ya estaba puesta, pero no se veía la comida por ninguna parte.

La zorra ya se relamía.

En esto, de la cocina llegó un delicioso olorcillo de carne asada y a la zorra se le hacía la boca agua pensando en el banquete que iba a darse.

Al poco, apareció la cigüeña. Llevaba unas
botellas de cuello alto y estrecho, llenas de jugo
de carne. Puso una delante de la zorra y se quedó
la otra para ella.

La cigüeña metió el pico largo y fino
dentro de la botella y, en un abrir y cerrar
de ojos, se acabó todo el jugo de carne sin
dejar ni una sola gota.

La zorra, en cambio, no hacía más que probar y volver a probar cómo meter el hocico dentro de la botella, pero corto y grueso como era, no podía de ninguna manera. Enfadada, sacaba la lengua e intentaba sorber, pero tampoco conseguía nada.

Con el rabo entre las piernas y el estómago vacío volvió a su madriguera sin decir ni media palabra.

Mientras, la cigüeña, riendo, se tomó todo el jugo de la otra botella.

Relación con el tema

Piensa

Éstas son algunas preguntas que puedes usar para pensar sobre el cuento.

- ¿Por qué al cigueña no pudo comer nada en la casa de la zorra?
- ¿Cómo se sintió la cigueña?
- ¿Qué hizo la cigueña?
- ¿Qué lección aprendió la zorra?

Mira el Tablero Concepto/Pregunta. ¿Hay algunas preguntas que puedes contestar ahora? ¿Tienes alguna pregunta acerca de los cuentos tradicionales? Escribe las preguntas en el Tablero. La próxima lectura te puede ayudar a contestar tus preguntas.

Cuenta una historia

Trabaja con un compañero. Hablen de alguna situación parecida a la que muestra el cuento y que ustedes hayan experimentado. Comenten por qué no era correcto que la zorra se comportara de esa manera con la cigueña.

Vocabulario de la selección

encantada

enfadada

ensequida

llenas

Glosario

Puedes encontrar muchas de las palabras difíciles del libro en el glosario. El glosario es como un diccionario porque tiene el significado de las palabras, está en orden alfabético, y las palabras están divididas en sílabas. También indica los elementos gramaticales de las palabras. Los verbos aparecen en el infinitivo. Los sustantivos aparecen en singular y los adjetivos en masculino singular.

Se usan las siguientes abreviaturas en este glosario:

adj.	adjetivo
adv.	adverbio
f.	sustantivo femenino
m.	sustantivo masculino
prep.	preposición
v.	verbo

A

agacharse (a-ga-char-se) *v.* Colocarse cerca del suelo sin acostarse.

agacharse

agotado (a-go-ta-do) *adj.* Muy cansado.

agujerear (a-gu-je-rear) *v.* Hacer un hueco.

atizador (a-ti-za-dor) *n.* Una varilla de metal para remover el fuego.

avanzar con estruendo (a-van-zar con es-truen-do) *v.* Caminar de una forma pesada.

avaro (a-va-ro) *adj.* Que siempre quiere más.

azadonar (a-za-do-nar) *v.* Cavar en la tierra con una herramienta de jardín.

—C—

coyote (co-yo-te) *n.* Un animal gris que se parece a un lobo pequeño.

—D—

dar un traspie (dar un tras-pié) *v.* Golpear contra algo un pie como para caerse.

—E—

elegante (e-le-gan-te) *adj.* Muy bien vestido y de clase alta.

empujar (em-pu-jar) *v.* Atizar.

enfadarse (en-fa-dar-se) *v.* Estar molesto.

entrada (en-tra-da) *n.* Puerta a un cuarto.

espino (es-pi-no) *n.* Un árbol con brotes de pequeñas puntas.

exigente (e-xi-gen-te) *adj.* Difícil de complacer.

exigir (e-xi-gir) *v.* Preguntar por algo en una forma mandona.

extinguir (ex-tin-guir) *v.* Apagar.

—G—

galopar (ga-lo-par) *v.* Correr rápidamente.

H

hocicar (ho-ci-car) *v.* Frotar con la nariz.

I

impaciente (im-pa-cien-te) *adj.* No estar dispuesto a esperar.

M

malhumorado (mal-hu-mo-ra-do) *adj.* Gruñón

menear (me-near) *v.* Retorcerse o girar.

O

ordenar (or-de-nar) *v.* Decirle a alguien que haga algo de una manera enérgica.

ordenar (or-de-nar) *v.* Decir algo de una forma mandona.

P

paquete (pa-que-te) *n.* Un bulto pequeño.

pisotear (pi-so-tear) *v.* Marcar con el pie.

pradera (pra-de-ra) *n.* Un campo abierto cubierto con hierba y flores salvajes.

placer (pla-cer) *n.* Algo que hace a uno feliz.

platillo (pla-ti-llo) *n.* Un pequeño plato de poca profundidad para sostener una taza.

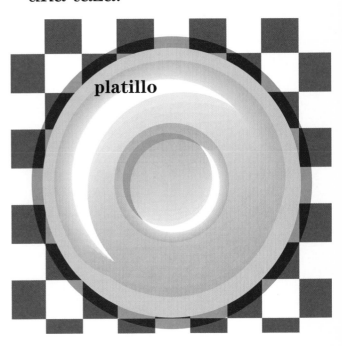

platillo

quejarse (que-jar-se) *v.*
Gruñir.

R

regañar (re-ga-ñar) *v.* Decir
algo de forma mal
intencionada, como si se
fuera a castigar.

rescate (res-ca-te) *v.* Salvar
del peligro.

resistir (re-sis-tir) *v.*
Mantenerse alejado.

ridiculo (ri-dí-cu-lo) *adj.*
Tonto.

ronronear (ron-ro-near) *v.*
El sonido que hace un gato
cuando está feliz.

S

sembrado (sem-bra-do) *n.*
Un pequeño lote de tierra en
el cual se cultiva un tipo de
planta.

serio (se-rio) *adj.* Que no
se toma a la ligera,
importante.

situación (si-tua-ción) *n.* Un
suceso, algo que está
pasando.

Decodable Stories

Querido Queso

Challenging Words
paquete/package
parado/stand still
pequeño/small
querido/beloved

Non-decodable Words
puede/he can

Desear y Poder

Challenging Words
balancea/swings
desear/to wish
laguna/lagoon
mariachi/mariachi
montaña/mountain
retratos/portraits

Non-decodable Words
guitarra/guitar
quiso/I wanted
vuela/it flies

A jugar

Challenging Words
balancea/swings
desear/to wish
laguna/lagoon
mariachi/mariachi
montaña/mountain
retratos/portraits

Non-decodable Words
guitarra/guitar
quiso/I wanted
vuela/it flies

Mi amigo Jorge

Challenging Words
Amigo/friend
Amigos/friends
Caballo/horse
Cocina/cooks
Cocinar/to cook
Jovencita/young girl
Tamales/tamales

Non-decodable Words
Muy/very
soy/I am

El regalo

Challenging Words
Animales/animals
Aprender/to learn
Aquino/Aquino
Ayudar/to help
Ayudará/will help
Mágica/magical
Rápido/fast
Regalo/present
Seguro/surely
Señora/Mrs.
Visitar/to visit

Non-decodable Words
bien/well
muy/very
Todavía/yet
Voy/I will

El antifaz

Challenging Words
antifaz/mask
caballos/horses
cómodos/comfortable
Elena/Elena
felices/happy
mañana/morning
película/movie
pensaron/they thought
recibir/to receive
regalos/presents

zapatillas/little shoes
zapatos/shoes
Zorruno/Zorruno

Non-decodable Words
hija/daughter

Los gémelos

Challenging Words
abuela/grandmother
anoche/at night
desayuno/breakfast
distinctas/distinct
gemelos/twins
Hector/Proper Name
mañana/morning
parecen/appear
personas/people

Non-decodable Words
abuela/grandmother
clase/class
huevos/eggs
huy/ouch
tienen/they have

Tina de Canadá

Challenging Words
Agosto/August
Bonito/pretty
Canadá/Canada
Caramelos/caramels
Divertirnos/enjoy ourselves

326

Enferma/sick
Escribe/writes
Montando/sitting on
Pintura/drawing
Toronto/Toronto
Velero/sailboat
Vestido/dressed
Clase/class
comió/ate
también/also

Mi sueño

Challenging Words
acostarme/to put myself
  to bed
atardecer/to grow late
describir/to describe
desperté/I woke up
entrada/entrance
entregué/I turned in
guepardo/cheetah
Guillermo/Proper Name
helado/ice cream
mañana/morning
navegué/I navigated
permiso/permission
reguero/canal

Non-decodable Words
cuando/when
día/day
escuela/school
estudiar/to study

maestra/teacher
reímos/we laughed
seis/six

Mi mascota favorita

Challenging Words
Alguna/some; any
Caballo/horse
Colorado/red
Favorita/favorite
Max/Proper Name
Pequeñito/small
Perrito/little dog
Sox/Proper Name
Wanda/Proper Name
Wilber/Proper Name
Wonder/Proper Name

Non-decodable Words
Nuestra/our
tienes/you have
Xavier/Proper Name

Los músicos

Challenging Words
Amigos/friends
Concierto/concert
Escuchar/to listen
Escucharles/to listen to them
Excelentes/excellent
Hermanos/siblings

Mañana/morning
Mexicanas/Mexican
México/Mexico
Música/music
Músicos/musicians
Practican/practice
Saxofón/saxophone

Non-decodable Words
canciones/songs
concierto/concert
días/days
Kariana/Proper Name
piano/piano
pueblo/village

El león pequeño

Challenging Words
Árboles/trees
Leona/lioness
Leoncín/Leoncín
Leones/lions
Llamaba/was called
Tomaban/they had

Non-decodable Words
Cuando/when
grande/big
quería/wanted
Troilo/Proper Name

Blas el dragón

Challenging Words
algunas/some
algunos/some
apacible/peaceable
cabezas/heads
cosechas/crops
dragones/dragons
echaban/threw
hablamos/we speak
leemos/we read
leyendas/legends
tragaban/swallowed

Non-decodable Words
bravío/fierce
clase/class

La finca

Challenging Words
alimentar/to feed
animales/animals
ayudo/I help
bonita/beautiful
caballos/horses
comemos/we eat
comida/food
conejos/rabbits
domingos/Sundays
favorito/favorite
incluye/includes

mañana/morning
poderosos/powerful
quehaceres/chores
se levanta/wake up
trabajador/hard-working

Non-decodable Words
grande/big
muy/very
temprano/early
tiene/has
tío/uncle

Flechas

Challenging Words
América/America
Animales/animals
Atrapaban/caught
Cazaban/they hunted
Cocinaban/they cooked
Durante/during
Espinas/spines
Estrechos/narrow
Extremo/extreme
Hacían/did
Indígena/native
Madera/wood
Navegaban/sailed
Pescaban/they fished
Terribles/terrible
Usaba/used
Venado/deer
Verano/summer

Non-decodable Words
Abuelos/grandparents
fluían/they flowed
frambuesas/raspberries
frecuencia/frequency
hacían/they made
plantas/plants
ponían/they put
recogían/they gathered
ríos/rivers

Soñar

Challenging Words
aflojaron/came loose
anoche/last night
bajábamos/we were
descending
colgaba/hanging
comida/food
de repente/suddenly
debajo/under
esquimales/eskimos
íbamos/we went
llevábamos/we brought me
desperté/I woke up
momento/moment
nos agarramos/we grabbed
pasamos/we passed
semillas/seeds
volabla/flew

Non-decodable Words
glaciar/glacier
había/there was
hueso/bone
iglúes/igloos

La ciudad grande
Challenging Words
amigos/friends
animales/animals

hermana/sister
platicar/to talk
semana/week
tráfico/traffic

Non-decodable Words
abuela/grandmother
ciudad/city
edificios/buildings
escuela/school
teatros/theaters